ISBN 978-2-244-49151-6

Juliette

au pays des contes

Texte et illustrations de
Doris Lauer

Éditions Lito

-Dis, mamie, pourquoi tu me racontes plein de contes de fées? demande Juliette.-C'est pour mieux t'apprendre la vie, mon enfant! fait-elle en prenant sa grosse voix de loup très drôle.

-Bon, ma chérie, je te raconte quoi aujourd'hui?

-Raconte-moi encore le Petit Chaperon rouge !
-D'accord, écoute bien, dit mamie. Il était une
fois...-Eh ben moi, j'aurais dit :-Bonjour loup ! Tu
as faim ? Dans mon panier, j'ai du beurre et du
pain. Et je t'appelle Roudoudou si tu veux bien !

-Raconte-moi encore Cendrillon! -Il était une
fois... conte mamie. Juliette écoute et l'interrompt:
-Moi, en essayant la pantoufle, j'aurais dit :
-C'est sûr que c'est ma taille! Bon, en verre,
j'aime pas trop. Vous ne les avez pas en bleu?

-Raconte-moi encore Blanche-Neige et les sept nains ! -Il était une fois... bla bla bla ... pomme empoisonnée... Juliette s'écrie : -Alors là, j'aurais dit : -Dis-donc, elle a l'air trop belle, ta pomme ! T'as qu'à la manger toute seule. Et ne reviens jamai

-Raconte-moi encore Hansel et Gretel, mamie !
-Alors, il était une fois... Juliette écoute et
commente : -Petit Pierre aurait dit : -Miam,
miam, là ! Et moi : -N'allons pas plus loin.
On croque un bout de la clôture et on file !

- Mamie, raconte-moi encore la Belle au bois dormant ! - Il était une fois... en haut de la tour... - Là, je me serais dit : - C'est quoi ça ? Du poil de chat ou de la barbe à papa ? J'y vais ou j'y vais pas ? Non, je redescends chez maman !

-Et puis encore Boucle d'Or et les trois ours!
-Bon, mais c'est la dernière, choupette. Il était
une fois... Juliette écoute jusqu'au bout et dit:
-Moi, j'aime pas la soupe et le tout petit ours
m'aurait dit:-Reviens, Juliette, j'ai du miel pour
toi! Et on serait devenus amis pour la vie!

-Dis, mamie, les contes de fées, ça s'est passé
quand tu étais bébé? -Mais non, ma petite! Mon
grand-père me les racontait déjà. Ils stimulent
l'imagination et t'aident à voir clair dans tes
émotions! -J'ai rien compris, mamie! Dis-moi juste:
-Le Prince charmant, il existe ou il n'existe pas?

www.editionslito.com

Lito - 41, rue de Verdun 94500 Champigny-sur-Marne
Imprimé en UE
Loi n° 49-956 du 16 juillet 1949 sur les publications destinées à la jeunesse
Dépôt légal : août 2018

Juliette
fait des bêtises

Juliette
chez le docteur

Juliette
va à l'école

Juliette
chez papy et mamie

Juliette
fête son anniversaire

Juliette
fait des courses

Juliette
pique-nique

Juliette
fête Noël

Juliette
fait du sport

Juliette
à la fête du village

Juliette
fait sa toilette

Juliette
fait un gâteau

Juliette
fait de la musique

Juliette
joue dans son jardin

Juliette
prend le train

Juliette
et sa copine

Juliette
se promène en forêt

Juliette
fait du poney

Juliette
fête Pâques

Juliette
et la galette des Rois

Juliette
fait du camping

Juliette
dort chez sa copine

Juliette
à la maternelle

Juliette
petite danseuse

Juliette
à la cantine